Llyfrgelloedd Caerdydd
www.caerdydd.gov.uk/llyfrgelloedd
Cardiff Libraries
www.cardiff.gov.uk/libraries

LE

Deri Dan
y Daliwr Dreigiau

Haf Llewelyn

Arlunio gan
Petra Brown

Gomer

Cyhoeddwyd gyntaf yn 2017 gan
Wasg Gomer, Llandysul, Ceredigion SA44 4JL
www.gomer.co.uk

ISBN 978 1 78562 173 4

Dymuna'r cyhoeddwyr gydnabod cymorth ariannol
Cyngor Llyfrau Cymru.

Argraffwyd a rhwymwyd yng Nghymru gan
Wasg Gomer, Llandysul, Ceredigion.

Pennod Un

Daliwr dreigiau oedd Deri Dan. Daliwr dreigiau oedd Tanwen ei fam, daliwr dreigiau oedd ei daid a daliwr dreigiau oedd ei hen nain hefyd. A dweud y gwir, roedd bron pawb o deulu Deri Dan yn ddalwyr dreigiau. Teulu Deri Dan oedd dalwyr dreigiau Cwm Cynnes.

Roedden nhw'n deulu dewr, ffyrnig a di-ofn. A dyma nhw:

Tanwen
(Mam Deri Dan)

Taid (Taid Deri Dan)

Hen Nain

Beti (draig anwes
Deri Dan)

a Deri Dan.

Roedd Taid yn hen erbyn hyn. Roedd Taid wedi mynd yn rhy hen i ddal dreigiau, ond roedd o wrth ei fodd yn dweud storïau am ddal dreigiau drwg oedd yn poeni'r ardal. Un tro, daliodd Taid (medda fo) ddraig ENFAWR oedd wedi bod yn poeni pawb. Dorcas oedd ei henw. Byddai Dorcas yn –

- Llosgi fforestydd a choedwigoedd cyfan
- Llosgi caeau gwair ffermwyr
- Toddi'r ffyrdd a phontydd
- Dadmer mynyddoedd rhew a chreu llifogydd

Cafodd Taid fedal goch am ddal Dorcas y ddraig enfawr, a phob blwyddyn ers hynny byddai pobl Cwm Cynnes yn cynnal carnifal i ddathlu bod Taid wedi dal Dorcas y ddraig.

Roedd Taid mor falch o'r fedal, byddai'n ei glanhau bob bore. Cadwai Taid y fedal ar y silff er mwyn i bawb gael ei gweld, yna byddai'n mynd ati i ddweud y stori am ddal Dorcas wrth bawb oedd yn galw.

Ew, roedd Taid wrth ei fodd yn sôn am ei gampau yn dal dreigiau. Ond a dweud y gwir, roedd Tanwen, Deri Dan a Beti wedi cael llond bol ar glywed y stori amdano'n dal Dorcas.

Pan fyddai Taid yn dechrau ei dweud am y 603ydd tro, byddai pawb yn esgus fod ganddyn nhw rhywbeth pwysig iawn i'w wneud, ac yn rhuthro am y drws . . .

Ie wir, fi oedd y
gorau wyddoch chi, am
ddal dreigiau. A dacw hi'r
fedal gefais i am ddal Dorcas.
Glywsoch chi am Dorcas?
Naddo? Wel, mi ddweda
i'r hanes wrthych
chi . . .

Pennod Dau

Gorweddai Deri Dan yn ei wely yn gwrando ar y glaw yn disgyn. Suddodd ei galon. Roedd hi wedi bod yn bwrw ers dyddiau, ac roedd carnifal y pentref i fod i ddechrau ar ôl cinio. Byddai'r tir i gyd yn wlyb ddiferol.

'Tyrd, Deri Dan – amser codi! Wnei di fynd i'r ardd i 'nôl tatws i mi at ginio? Dw i'n mynd i'r cae i wneud yn siŵr fod popeth yn barod ar gyfer Carnifal Cwm Cynnes, ac mae Beti wrthi'n chwythu tân ar y bara i wneud tost i ti.'

O na! meddyliodd Deri Dan. Neidiodd o'i wely, oherwydd os byddai'n hwyr yn codi, byddai Beti wedi chwythu cymaint o dân ar y bara, fel y byddai'r tost yn ddu ac yn galed fel haearn.

Rhuthrodd i lawr y grisiau. Roedd Beti wrthi'n chwythu tân ar y tost.

'Dyna ddigon, Beti!' bloeddiodd. 'Dw i ddim eisiau tost wedi llosgi *eto* bore 'ma.'

Stopiodd Beti chwythu tân, caeodd ei cheg yn glep, cuddiodd ei thafod fforchog, ac aeth i eistedd o dan y bwrdd. Eisteddodd yno'n bwdlyd, nes i Deri Dan orffen ei dost (oedd braidd yn ddu).

Roedd Beti'n dal i swatio o dan y bwrdd pan aeth Deri Dan i nôl y fasged dal tatws. *Roedd eisiau amynedd gyda dreigiau weithiau*, meddyliodd Deri Dan. Byddai Taid yn dod i lanhau'r fedal goch unrhyw funud, gan ei fod eisiau mynd â hi i'w dangos ar stondin 'Rhyfeddodau Ddoe a Heddiw' yn y carnifal. Brysiodd Deri Dan oherwydd doedd o ddim eisiau clywed hanes Taid yn dal Dorcas am y 604ydd gwaith.

Felly aeth Deri Dan i nôl llond llaw o tsilis

o'r jar. *Byddai hynny'n siŵr o berswadio Beti i ddod allan o dan y bwrdd.*

'Tyrd rŵan, Beti fach, mae'n ddrwg gen i am weiddi arnat ti . . . Diolch am y tost Beti, roedd o'n . . . ym . . . gynnes iawn. Edrych beth sy gen i yn y fan yma,' meddai. Cododd Beti ei phen am funud, a stwffio'i thrwyn bach coch yn nes at law Deri Dan. Roedd hi wedi arogli'r tsilis. Ew, roedd hi'n mwynhau bwyta tsilis.

'Tyrd rŵan, Beti, mae'n rhaid i ni fynd i dy baratoi di ar gyfer y carnifal, oherwydd dw i am i ti drio'r gystadleuaeth "Anifail Anwes Anhygoel".'

'Hmm?' holodd Beti. Doedd hi ddim yn siŵr ynglŷn â chael ei harddangos mewn unrhyw gystadleuaeth. Ond daeth allan oddi tan y bwrdd pan welodd fod gan Deri Dan lond ei law o'r tsilis blasus.

Roedd Deri Dan wrth ei fodd â'i ddraig fach anwes. Roedden nhw'n ffrindiau pennaf a doedd o ddim am ei digio. Wedi'r cyfan, beth fyddai o'n ei wneud hebddi? Un dda oedd Beti, er ei bod hi'n pwdu – weithiau. Roedd hi wrth ei bodd yn –

gwneud tost bob bore. Berwi dŵr i bawb gael paned. Berwi dŵr i Deri Dan gael ymolchi. Cynnau'r tân pan fyddai'n oer. Clirio'r eira o flaen y tŷ. Cynnau'r barbeciw a chwythu mwy o dân er mwyn i bawb gael cig rhost hyfryd i swper.

Heb Beti, fyddai yna ddim byd ond dail letys oer a thomato i ginio bob dydd.

'Go dda ti, Beti!' meddai Deri Dan wrth wylio Beti'n cnoi'r tsilis bach gwyrdd a choch yn awchus.

Roedd y tsilis mor boeth nes daeth mwg allan trwy ffroenau Beti a bu'n rhaid i Deri Dan ei gwthio allan i'r ardd gefn rhag ofn iddi losgi'r bwrdd a'r cadeiriau a'r silff lle roedd medal goch Taid yn gorwedd.

Wrth i Deri Dan wthio pen-ôl y ddraig trwy'r drws cefn ac allan i'r ardd, cafodd dipyn o siom. *O na! Roedd hi'n bwrw hen wragedd a ffyn. Fyddai ddim llawer o hwyl yn y carnifal a hithau'n bwrw fel hyn*, meddyliodd. Ond pan gamodd Deri Dan i'r ardd, dychrynodd am ei fywyd. *Beth yn y byd mawr oedd wedi digwydd yno?*

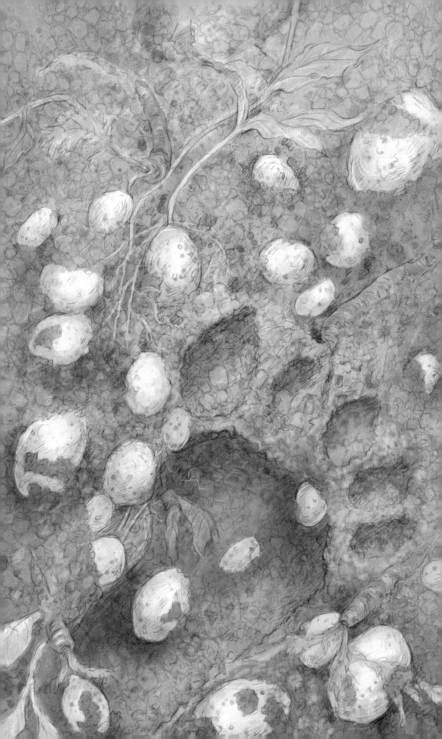

Pennod Tri

Llanast. Roedd y lle'n llanast llwyr.

Roedd rhywun – neu rywbeth – wedi bod yn gwneud llanast yng ngerddi Cwm Cynnes ers wythnosau. Fore ddoe, roedd gardd Mrs Fflam drws nesa'n dwmpathau pridd enfawr, ac olion traed anferth dros y lle ym mhob man. Ac echdoe, roedd rhywbeth fel petai wedi bod yn llusgo'i gynffon hir drwy rhesi moron Mr Poeth, Tŷ Pen, nes bod y llysiau i gyd yn fflat a'r blodau i gyd wedi plygu a'u gwasgu i'r pridd mwdlyd.

Roedd Mr Poeth a Mrs Fflam wedi galw yng nghartref Deri Dan i gwyno. Roedden nhw'n siŵr mai Dot, chwaer Dorcas y ddraig ffyrnig roedd Taid wedi'i dal, oedd yn gyfrifol.

'Pryd wyt ti am ei dal hi, Deri Dan?' holodd Mrs Fflam. 'Mae'n *warthus* fod yr hen ddraig yna'n cael llonydd i wneud y fath lanast!'

'Ydy wir,' cytunodd Mr Poeth, 'ac rwyt ti'n galw dy hun yn Deri Dan, *Daliwr Dreigiau*! Pryd wyt ti am ei dal hi, felly?' meddai wedyn gan bwyntio'i fys i gyfeiriad yr arwydd mawr oedd yn crogi yn y glaw, uwchben y drws.

DERI DAN, DALIWR DREIGIAU
Os oes gennych chi ddraig yn eich poeni,
Un fawr neu un fach, dewch i 'ngweld i.
FI, DERI DAN yw'r un i chi!

'Hy!' wfftiodd Mr Poeth wedyn. 'Daliwr Dreigiau, wir!'

Roedd Deri Dan wedi dychryn braidd oherwydd erbyn hyn, roedd Mrs Fflam a

Mr Poeth yn edrych yr un mor ffyrnig â dreigiau pan oedden nhw wedi gwylltio.

Ond y gwir amdani oedd, doedd Deri Dan ddim eisiau dal draig o gwbl. Byddai'n llawer gwell gan Deri Dan fod yn gogydd, yn blymiwr, yn adeiladwr, yn ffermwr, yn astronot, yn bêl-droediwr, yn fecanic, yn yrrwr trên, yn . . . Ie, r'ych chi wedi dyfalu. Byddai'n llawer gwell gan Deri Dan fod yn UNRHYW BETH yn y byd, *heblaw* bod yn ddaliwr dreigiau.

Ond fedrai Deri Dan ddim dweud hynny wrth neb, wrth gwrs, oherwydd Daliwr Dreigiau oedd Tanwen ei fam, Daliwr Dreigiau oedd ei daid a Daliwr Dreigiau oedd ei hen nain hefyd. A dyna oedd pawb yn disgwyl i Deri Dan ei wneud, wrth gwrs. Deri Dan druan. Doedd o ddim eisiau dal dreigiau – dim o gwbl.

A heddiw . . . agorodd Deri Dan ei lygaid yn fawr . . . heddiw ar ddiwrnod carnifal

Cwm Cynnes, roedd *rhywbeth ofnadwy* wedi digwydd. Rhywbeth gwaeth na'r glaw, hyd yn oed. Roedd Dot y ddraig wedi bod yng ngardd hyfryd Tanwen. O na! Beth fyddai Tanwen yn ei ddweud?

Edrychodd Deri Dan o'i gwmpas yn syn.

Roedd y rhesi tatws wedi'u codi i gyd a'r tatws yn gorwedd blith-draphlith ar y pridd. Gorweddai blodau Tanwen yn y llaid a'u coesynnau wedi'u plygu. Ac yma ac acw ar hyd a lled yr ardd roedd olion traed anferth, a'r olion yn prysur lenwi â dŵr glaw budr.

'O, nefi blw a mawredd mawr!' meddai Deri Dan. Brasgamodd trwy'r glaw i edrych ar y tŷ gwydr. Craffodd Deri Dan drwy'r ffenestri duon. Diolch byth, roedd y llwyni tsilis yn ddiogel! *Byddai digon ohonyn nhw felly i fwydo Beti, ac i gadw ei hanadl yn boeth*, meddyliodd.

Safodd Deri Dan yno, gan edrych yn ddigalon ar yr olion blêr yn yr ardd. Byddai

Tanwen yn ei hôl unrhyw funud, a byddai Taid yn dod i chwilio am goed i'w rhoi ar y tân. *Byddai'r ddau'n dychryn am eu bywydau o weld y fath lanast!* Ond yn waeth na hynny, gwyddai Deri Dan y byddai pawb yn troi ato fo i ddatrys y broblem. Wedi'r cwbl, roedd Taid a Tanwen wedi ymddeol. Deri Dan oedd Daliwr Dreigiau swyddogol yr ardal erbyn hyn. Ond doedd o *erioed* wedi dal draig yn ei fywyd, a doedd o'n sicr ddim eisiau dal Dot a'i chario mewn rhwyd fawr a'i rhoi yn y dwnjwn dreigiau tywyll, llaith. *I fyny yn y mynyddoedd uchaf yn rhedeg a hedfan yn wyllt a rhydd – dyna lle dylai dreigiau fod*, meddyliodd. *Wel – pob draig heblaw am Beti.* Dim ond cant oed oedd Beti, ac roedd hi felly'n llawer rhy fach i fyw ar ei phen ei hun!

Pennod Pedwar

'O NA!' bloeddiodd Tanwen. 'Beth sy wedi digwydd? Ro'n i eisiau'r blodau 'na ar gyfer y carnifal.'

Rhedodd yma ac acw, gan aros bob hyn a hyn i syllu'n drist ar y llanast.

'P-p-pwy, neu b-b-beth sydd wedi bod yn yr ardd yn gwneud hyn?' holodd wedyn.

'O MAM BACH! Edrych ar fy llysiau blasus i!'

'MAWREDD MAWR! Am olwg sydd ar 'y mlodau lliwgar i!'

Safodd Deri Dan yno, wrth ochr Beti – y ddau'n edrych yn benisel a digalon iawn yn y glaw.

'Deri Dan, mae'n rhaid i ti wneud rhywbeth, neu mi fydd hi ar ben arnon ni.'

Yna daeth Taid allan trwy ddrws cefn y tŷ,

a'r fedal goch yn ei law. Roedd o ar ganol ei glanhau pan glywodd Tanwen yn gweiddi.

'Wel, bobol annwyl, am le!' llefodd Taid. 'Wsti be, Deri Dan bach? Dydi hyn ddim yn ddigon da, 'ngwas i . . .' meddai, gan ysgwyd ei ben yn drist.

'Dw i'n cofio hyn yn digwydd wsti, pan oeddwn i'n Ddaliwr Dreigiau. Ond dim ond un waith y digwyddodd hynny, cofia; yna mi wnes i ddal Dorcas, y ddraig enfawr. Hi oedd wrthi wsti, a dyma sut ddigwyddodd pethau . . .'

O na! meddyliodd Deri Dan. *Rydw i'n mynd i gael clywed stori Taid am y 605ed gwaith!*

'Hisht, Taid!' meddai Tanwen. 'Dy'n ni ddim eisiau clywed y stori eto!'

Yna trodd Tanwen at Deri Dan. 'Ond mae Taid yn iawn, Deri Dan – mae'n rhaid i ti *wneud* rhywbeth. Beth petai Dot yn dod i lawr i ganol pentref Cwm Cynnes heddiw ac yn ymosod ar bawb yn y carnifal? A go drapia'r glaw yma hefyd,' cwynodd. 'Rŵan, tyrd Deri Dan, rhaid i ni gael cynllun,' meddai, a stompio 'nôl at y tŷ.

Suddodd calon Deri Dan yn is eto. Doedd o ddim am glywed cynllun ei fam; wedi'r cyfan, doedd o ddim am ddal yr un ddraig! Edrychodd ar Beti, ei ddraig anwes, a syllodd honno 'nôl arno, gyda'i llygaid mawr, breuddwydiol. Roedd dreigiau'n greaduriaid hyfryd a hynod (er eu bod yn pwdu weithiau) a doedd o'n bendant ddim eisiau dal Dot y ddraig ddrwg fu'n dinistrio'r gerddi.

Ond yna, edrychodd Dan ar wyneb siomedig ei fam, ac edrychodd ar wyneb syn ei daid (oedd ar fin dechrau dweud ei stori), a sylweddolodd y byddai'n *rhaid* iddo wneud rhywbeth. Roedd ei fam yn llygad ei lle. Oni bai ei fod o, Dan yn medru stopio Dot rhag bwyta a dinistrio gerddi pobl, fyddai yna ddim byd ar ôl i neb i'w fwyta yng Nghwm

Cynnes weddill y flwyddyn. A beth petai Dot yn dod i'r cwm i ddifetha'r carnifal? Arno ef – Deri Dan y Daliwr Dreigiau Di-ddim – fyddai'r bai.

Pennod Pump

Plygodd Tanwen fap o ardal Cwm Cynnes yn ofalus, a'i roi i Deri Dan.

'Paid â chymryd y llwybr trwy'r goedwig, rhag ofn bod Dot yn cuddio yno'n rhywle,' meddai'n bendant, a nodiodd Taid yn ddoeth.

'Ia wir, Deri Dan bach, a chofia fynd â digon o saethau gwenwyn draig gyda ti – y rhai mwyaf, cofia, os ydy Dot rywbeth tebyg i Dorcas, yna mae hi'n ddraig ANFERTH . . . Dw i'n cofio pan oeddwn i . . .'

'Iawn, Taid, diolch! Mae'r saethau mawr gen i.' *Ffiw! Diolch byth*, meddyliodd Deri Dan, *roedd o wedi medru stopio Taid rhag dweud y stori am y 606ed tro.*

'Ydy'r rhwyd yn barod gen ti?' holodd Tanwen. 'Unwaith y bydd y gwenwyn wedi

gwneud Dot yn gysglyd yna defnyddia dy gorn i alw am help y plismyn dreigiau i'w nôl hi. Paid â cheisio ei symud hi ar dy ben dy hun – mi fydd hi'n llawer rhy fawr. Wyt ti'n siŵr nad wyt ti eisiau i mi ddod yn gwmni i ti, Deri Dan?'

'Ydw wir, Mam, mi fydda i'n iawn. Mi fydd Beti gyda fi'n gwmpeini.'

'Cymer ofal, Deri Dan!' meddai Mam am y degfed tro, a nodiodd Taid.

'Dyna ti, 'ngwas i,' meddai hwnnw.
'I ffwrdd â thi a chofia di – ni ydy'r teulu
gorau o ddalwyr dreigiau a fu yng Nghwm
Cynnes erioed!'

Stryffaglodd Deri Dan i wisgo'i glogyn
glaw, rhoddodd ei fag saethau dros un
ysgwydd, y bag dal rhwyd ar yr ysgwydd
arall, a galwodd ar Beti, cyn mynd allan i'r
glaw.

Wrthi'n mynd heibio i'r tŷ gwydr oedd Deri Dan, pan glywodd Beti'n chwyrnu.

'Beth sy, Beti?' gofynnodd. Deffrôdd Beti gan frysio tuag at y drws a pwyso'i thrwyn yn erbyn y gwydr, a phwyntio tuag at y tsilis.

'Wyt ti am i mi fynd â tsilis efo fi?' holodd Deri Dan. Agorodd y drws, casglodd y tsilis i gyd a'u rhoi mewn sach fechan ar gefn Beti. Wedi'r cwbl, roedd yn daith hir i'r mynyddoedd, a byddai Beti angen rhywbeth bach i'w fwyta.

Felly, a phopeth yn barod, cychwynnodd y ddau ar eu taith i fyny tua'r mynyddoedd.

Pennod Chwech

'Wyt ti'n meddwl bod yna rywun yn fan'na?' Crynodd Deri Dan, y Daliwr Dreigiau, a symud yn nes at Beti. Roedd yn siŵr fod yna rywbeth yn cuddio yn y llwyni fan draw.

'Sgwwwaaaawc!'

Neidiodd Deri Dan, wrth i hen bioden sgrechlyd hedfan heibio'i ben.

'O MAM BACH!' gwaeddodd Deri Dan, ei galon yn curo'n wyllt.

Drip. Drip. Dripian. Disgynnai'r diferion glaw drwy'r clogyn, nes bod cefn Deri Dan yn wlyb socian. O'i amgylch roedd brigau'r coed yn hongian yn llipa a'r dail yn sibrwd: 'Gwylia, gwylia, Deri Dan,' wrth iddo fynd heibio.

Roedd Deri Dan yn gwybod bod llygaid yn ei wylio o bob cyfeiriad. Llygaid bach creaduriaid y goedwig. O'i gorsedd ar foncyff y dderwen gwyliai'r hen dylluan ddoeth. O'i nyth ar frig yr onnen, sbeciai'r wiwer goch, ac yn ei wely yng nghanol y dail, swatiai'r draenog. Oedd, roedd creaduriaid y goedwig i gyd yn gwylio. Ond a oedd yna un creadur arall yn gwylio tybed? Creadur mawr, coch, gyda thafod fforchog a chrafangau miniog, ei anadl yn boeth a'i dymer ar dân?

'Mwaaaah!'

Neidiodd Deri Dan. *Beth oedd yna?* Edrychodd o'i amgylch yn wyllt a rhedodd i guddio y tu ôl i foncyff y dderwen

'Mwaaaah!' Dyna fo eto! Sŵn rhuo isel a chwyrnu. Sŵn tebyg i rywun yn pesychu.

'Mwaaaachchch!'

O BOBOL BACH! Dot y ddraig oedd yno, mae'n rhaid. Dot y ddraig ENFAWR! Doedd hi ddim i fyny yn y mynyddoedd, felly. Yn lle

hynny, roedd hi yno . . . yn y goedwig . . . yn barod i neidio arno.

'Mwaaaachchch, pych pych pych . . . sniff, sniff, sniff.'

Roedd y sŵn yn dod o'r tu ôl i'r graig anferth – y graig anferth oedd yn gysgod uwchben Cwm Cynnes. Sbeciodd Deri Dan o'r tu ôl i'r boncyff, ond roedd Beti wedi'i adael ac yn llamu tuag at y graig.

'Na Beti, tyrd 'nôl! Mae hynna'n beth ofnadwy o beryglus i'w wne-e-e-e-eud!'

Ond roedd Beti wedi diflannu o'r golwg yn sydyn y tu ôl i'r graig. Arhosodd Deri Dan am funud gan ddisgwyl clywed sŵn dychrynllyd – dwy ddraig yn paffio. Ond er iddo aros, ddaeth yr un smic o sŵn.

Beth petai Dot, y ddraig enfawr, wedi cael gafael ar gynffon Beti ac yn ei dal, yr eiliad honno, gerfydd ei chynffon uwch ei cheg yn barod i'w brathu? Beth petai Dot, y ddraig enfawr, wedi llyncu Beti fach yn gyfan, heb ei chnoi hyd yn oed? Neu, beth petai Dot, y ddraig enfawr, wedi eistedd ar ben Beti, druan, a'i bod ar fin ei gwasgu i farwolaeth?

O! Fedrai Deri Dan ddim dioddef hynny. Beti bwt, ei ddraig fach anwes, mewn perygl! Gafaelodd Deri Dan yn ei fwa a thynnu'r saeth fwyaf allan o'r sach. Roedd yn *rhaid* achub Beti. Roedd yn rhaid bod yn ddewr. Roedd yn rhaid bod yn ymladdwr dreigiau di-ofn.

'DYMA FI'N DOD I DY ACHUB DI, BETI!' bloeddiodd Deri Dan a rhuthro tuag at y graig enfawr, am y lle roedd Beti wedi diflannu, ei fwa saeth yn barod am y frwydr . . .

'GWYLIA DI DY HUN, DOT, YR HEN FWLI . . !'

Pennod Saith

Ond pan neidiodd Deri Dan rownd ymyl y graig, cafodd sioc anferth. Dyna lle roedd un ddraig fach ac un ddraig fawr yn edrych yn ddigalon iawn. A dweud y gwir, roedd dagrau anferth yn powlio o lygaid Dot – dagrau mawr, gwlyb yn disgyn fel cawodydd o law trwm dros bob man. *Doedd ryfedd fod*

y ddaear i lawr yng Nghwm Cynnes mor wlyb a diflas, meddyliodd Deri Dan – *roedd dagrau Dot, y ddraig fawr, wedi gwlychu popeth.* Eisteddai Beti wrth ei hymyl, ag un braich dros ysgwydd Dot, yn ceisio'i chysuro.

Beth yn y byd mawr oedd o'i le? A beth yn y byd mawr oedd Deri Dan am wneud rŵan? *Fedrai o ddim saethu Dot, a hithau'n ddraig fawr drist, a fedrai o ddim galw ar y plismyn dreigiau, chwaith. Fydden nhw ddim yn gwneud dim byd ond dal Dot yn eu rhwyd a mynd â hi i'r dwnjwn dreigiau o dan y carchar yng Nghwm Cynnes. O diar!*

Eisteddodd Deri Dan am funud i feddwl. *Doedd Dot ddim yn edrych yn ffyrnig o gwbwl; a dweud y gwir, roedd Beti yn edrych yn fwy ffyrnig na Dot.* Dot druan. Roedd ganddi ddolur gwddw sobor, ac annwyd trwm, a dyna pam roedd yn crio. Wrth grio, roedd ei dagrau'n disgyn fel glaw dros Gwm

Cynnes i gyd, gan wneud pobman yn wlyb a diflas. Ac wrth disian, yna byddai'r coed a'r blodau i gyd yn cael eu chwythu i bob man nes oedden nhw'n fflat. Rhwng tisian a sniffian, ceisiodd Dot egluro mai wedi dod i lawr i bentref Cwm Cynnes i chwilio am rywbeth i wella'r annwyd wnaeth hi, a dyna pam roedd ei holion traed ym mhobman yn yr ardd.

Sylweddolodd Deri Dan yn go sydyn os na fedrai stopio Dot y ddraig rhag crio, yna, yn fuan iawn, byddai holl afonydd Cwm Cynnes yn gorlifo ac y byddai ar ben ar y carnifal hefyd, wrth gwrs.

Pendronodd am amser hir, yna cofiodd am y tŷ gwydr yn yr ardd gefn. *Wrth gwrs!* Dod i'r ardd i chwilio am y tsilis wnaeth Dot. Roedd pawb yn gwybod mai tsilis oedd y peth gorau ar gyfer gwella annwyd dreigiau. Rhuthrodd i nôl y tsilis o sach gefn Beti, ac aeth â nhw at ymyl trwyn Dot.

Yn ofalus, rhoddodd dwmpath bach ohonyn nhw o'i blaen i ddechrau. Doedd Deri Dan ddim am roi gormod ar y tro, rhag ofn i Dot ddechrau tisian eto, neu rhag ofn iddi ddechrau chwythu fflamau mawr a llosgi'r goedwig i gyd yn ulw.

Yn araf bach, llyncodd Dot y tsilis yn

ofalus, ac yn araf bach stopiodd y dagrau.
Yn araf bach hefyd, sylwodd Deri Dan fod
ychydig mwy o fwg yn dod o'i ffroenau.
Bwytodd Dot ddwy arall, a daeth mwy o fwg
fyth o'i thrwyn, dwy arall, a daeth fflam fach
fywiog i'r golwg.

'Dyna ddigon am y tro!' meddai Deri Dan
yn ddoeth.

Arhosodd Deri Dan a Beti gyda'r ddraig fawr drwy'r bore i wneud yn siŵr fod annwyd Dot wedi gwella'n llwyr, gan ei bwydo â dwy tsili ar y tro. Erbyn amser cinio, roedd y dagrau i gyd wedi stopio, a fflamau bach cynnes braf yn tasgu o drwyn Dot. Chwythodd hi'r cymylau duon i gyd o'r awyr, a dechreuodd y ddaear sychu eto.

Yna, yn sydyn, cofiodd Deri Dan am y carnifal. Wrth gwrs, os medrai gael Dot i lawr at ymyl cae'r carnifal, heb ddychryn pawb, fe allai hi chwythu tân fyddai'n chwalu'r cymylau duon ac yn sychu'r cae.

'Fedri di gael gair â hi, Beti? Fedri di ofyn i Dot ein helpu ni?' gofynnodd Dan. Nodiodd Beti ei phen – wrth gwrs y byddai Dot yn helpu.

Pennod Wyth

'Hwrê!' bloeddiodd pawb yn y carnifal. Hwn oedd y carnifal gorau ers blynyddoedd cytunodd pawb. Wedi'r cyfan, roedd y tywydd mor braf – daeth yr haul mawr, melyn i'r golwg a pheidiodd y glaw. Roedd

Dot, y ddraig fawr, wedi bihafio'n wych, ac wedi aros ar ben y graig uwch ben Cwm Cynnes i chwythu fflamau bach yn ofalus bob tro y byddai cwmwl du yn bygwth dod i guddio'r haul.

Ac wedi i Deri Dan esbonio wrth bawb beth oedd y broblem, roedd pawb wedi cytuno i beidio â bod yn gas wrth Dot, druan, byth eto. Wedi'r cwbl, medden nhw,

mi fedrai Dot fod yn ddefnyddiol iawn ond iddyn nhw fod yn garedig wrthi.

Dyna pam y gwnaeth y maer addewid y byddai pawb ym mhentref Cwm Cynnes yn tyfu o leiaf dri llwyn tsilis yn eu tai gwydr bob blwyddyn, er mwyn cadw Dot, y ddraig fawr, rhag cael yr annwyd. Ac roedd Dot wedi addo na fyddai hi'n dod i lawr at dai a gerddi Cwm Cynnes byth eto chwaith, cyn belled â bod digon o tsilis ar gael iddi pan fyddai annwyd arni.

Ar ei ffordd adref i'r bwthyn bach y noson honno, gyda Beti wrth ei ymyl, roedd Deri Dan yn wên o glust i glust. Yn ei boced roedd medal fawr goch a gafodd gan y maer, am i Beti ennill y gystadleuaeth "Anifail Anwes Anhygoel". *Bydd rhaid gwneud lle i'r wobr ar y silff wrth ochr medal fawr goch Taid*, meddyliodd Deri Dan gan sboncio yn ei flaen.

Yna edrychodd Deri Dan i fyny ar yr hen arwydd uwchben y drws. Tynnodd yr arwydd i lawr. Doedd o ddim eisiau bod yn *ddaliwr* dreigiau byth eto!

Y diwrnod wedyn roedd arwydd newydd wedi ei osod uwchben drws y bwthyn –

Gwarchodwr dreigiau yw Deri Dan
Dewch gyda fi i wneud eich rhan
I warchod a helpu a bod yn glên
A chyfarch pob draig efo clamp o wên.

GHOST DOG MYSTERY

Celia Warren

Illustrated by Pete Smith

Titles in First Flight

JF

Badger Publishing Limited
15 Wedgwood Gate, Pin Green Industrial Estate,
Stevenage, Hertfordshire SG1 4SU
Telephone: 01438 356907. Fax: 01438 747015
www.badger-publishing.co.uk
enquiries@badger-publishing.co.uk

Ghost Dog Mystery ISBN 1 84424 819 4

Text © Celia Warren 2006
Complete work © Badger Publishing Limited 2006

Series Editor: Jonny Zucker
Publisher: David Jamieson
Commissioning Editor: Carrie Lewis
Editor: Paul Martin
Design: Fiona Grant
Illustration: Pete Smith
Printed and bound in China through Colorcraft Ltd., Hong Kong

GHOST DOG MYSTERY

Celia Warren

Contents

The first night

It was the first night in our new house.
My room was full of boxes.

"You will have to sleep in Jack's room,"
said Dad.

Jack is my brother.
I was glad to be in his room
when the noises began.

First, there was a howl.
Next, a chain clanking.

When it stopped I held my breath.
But then it all started again: Clank.
Howl. Rattle.

"Did you hear anything?" said Jack.

"A CLUNK, CLANK noise," I said.

"And a howl," said Jack.

We got out of bed and went to the window. Another howl made us jump. It sounded like an animal in pain.

Then there was silence so sudden it made me shiver.

CLUNK!

CLANK!

A buried bone

Jack was shivering, too.

"Are you frightened?" I asked.

"Just cold," he said. "Better go back to bed."

At last, I went back to sleep.
Soon, Jack was jumping on my bed and it was morning.

"Come on!" he said.
"Let's go and explore."

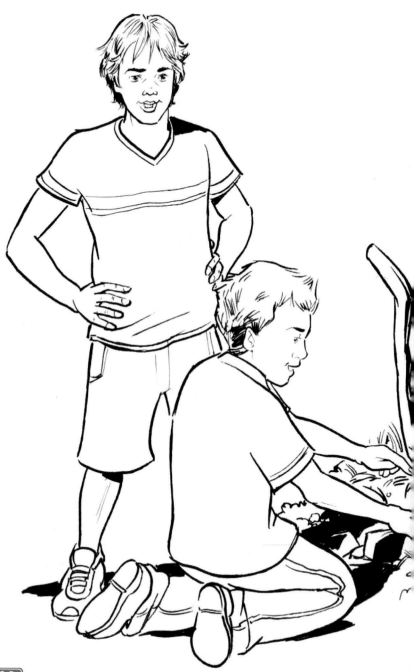

We ran into the garden. There was nothing there that would make a noise. There was just a post.
It was rusty and bent.

Near to the post, there was some soil in a heap.

Jack dug a little in the soil. We saw something white. We dug some more. Soon, we found a bone.

"Wow! – do you think there's a body?" I said.

"No," said Jack. "It's an animal bone."

I dug down, looking for more bones.

"Maybe a dog hid it," said Jack.
"Dogs do that. Then they come back
for them."

"Well, bad luck, doggie! "I said.
"I want this bone."

Just then Dad called us in to help
with the boxes.

Jack shot off. I hid the bone quickly
and went after him.

"Just in case it belongs to
somebody. Some body,"
I said to myself.

The white dog

That night we left the light on,
but Dad switched it off. So it was dark
when we woke later.

The noises had started again.
Jack put his lamp on.

"Do you think it's foxes?" I said.

"Foxes with chains?"

We were both at the window now.
Then we saw it: a big white dog
chained to the rusty post.
It was trying to get free.

"Poor dog," I cried.

"Come on," said Jack.

We ran down to
the back door.

The dog was
still howling.

Jack and I went into the garden.
The grass was cold and damp.
My hair stood on end as we ran
towards the dog.

One second it was there. The next it
had gone. I could feel Jack shaking.

"I think it saw us," he said.

The white dog was now at the end of the garden. It looked at us. Then it ran through a gap.

Jack and I went after it.

The dog kept running. Sometimes, it stopped and looked at us. Then it gave another howl and ran on.

At last it stopped at the back of the end house.

The dog looked at us. We could see through its thick white coat to the fence behind.

And then the dog vanished.

Rescue

Now what could we do? The white dog had gone. We started to go home. Suddenly we heard a sound.

We spun round. Jack and I peeped through a hole in the fence.

Weeds and long grass grew everywhere. The garden looked forgotten.

But then we saw another dog.
It was tied to a tree and lay very still.
This was no ghost. This was a real dog
– black and tan. It was so thin we
could see its ribs.

Jack and I shot round the house.
We banged on the door but the house
was empty.

It was starting to get light. The side
gate was broken. One shake and it
opened. We raced to the dog.

The poor thing was trying to drink from the wet grass. It was almost too weak to stand. If we left it we knew it would die.

We carried the dog home to our new house.

A new friend

Dad was making coffee
as we fell through the door.
He stood with his mouth open, looking
at Jack and me and one sad dog.

Dad loves dogs. He fed it some ham.
It licked his hand.

Then we took it to the vet. She looked at its paws, ears and teeth.

"You poor dog!" she said. "You are all skin and bone. But these boys found you in time. You are lucky."

The vet smiled.

"He's only young," she said. "Feed him
well. Keep him warm. He will soon be
strong again."

She gave the dog a booster to stop it
getting sick. Then we took it home.

Dad made some phone calls about
the dog. But he said we could keep it.
So we chose a name: Lucky.

A week later I remembered the bone.
I ran to the back door to find it but it
had gone.

"Did you take it, Jack?" I asked.

"No. I didn't even know you'd kept it."

Then we saw Lucky digging by the rusty post. He had dug up the bone in the very same place as we did! Lucky lay down, licking his bone happily.

"It's my bone now," he seemed to say.

As for the big white dog – we never heard or saw it again. But the man next door smiled when we asked him.

"The people who lived here before had a rescue dog. Snowy, they called him. He used to lie in the garden licking his bone. Just like Lucky!"